Jeunes francophones

Brilliant French Information Books
Level 3

Danièle Bourdais and Sue Finnie

On parle français en France, mais aussi sur les cinq continents.

Dans le monde, plus de 274 millions de personnes sont francophones !

« **Comment t'appelles-tu ?** »

Je m'appelle Junior.

« **Quel âge as-tu ?** »

J'ai dix ans.

« **Tu es d'où ?** »

Je suis de Libreville. C'est au Gabon, en Afrique.

« **Qu'est-ce que tu aimes ?** »

Mon passe-temps préféré, c'est le sport. Le football est le sport le plus populaire au Gabon.

« **Comment t'appelles-tu ?** »

Je m'appelle Laura.

« **Quel âge as-tu ?** »

J'ai onze ans.

« **Tu es d'où ?** »

J'habite en Nouvelle-Calédonie, près de l'Australie.

« **Qu'est-ce que tu aimes ?** »

J'aime bien aller à la plage. Ici, il fait beau et chaud de septembre jusqu'à mai.

« Comment t'appelles-tu ? »

Je m'appelle Hugo.

« Quel âge as-tu ? »

J'ai onze ans.

« Tu es d'où ? »

Je suis de Belgique.

« Qu'est-ce que tu aimes ? »

J'aime la BD belge, Tintin, et j'adore les frites ... avec de la mayonnaise.

« Comment t'appelles-tu ? »

Je m'appelle Faïza.

« Quel âge as-tu ? »

J'ai douze ans.

« Tu es d'où ? »

Je suis algérienne. J'habite à Alger, la capitale de l'Algérie.

« Qu'est-ce que tu aimes ? »

J'adore la musique pop. Mon groupe préféré, c'est un groupe algérien. Il s'appelle Babylone.

« Comment t'appelles-tu ? »

Je m'appelle Gabrielle.

« Quel âge as-tu ? »

J'ai treize ans.

« Tu es d'où ? »

Je suis du Québec, au Canada.

« Qu'est-ce que tu aimes ? »

Ma passion, c'est les animaux. À la télé, j'adore l'émission *100% Animal*. À la maison, j'ai deux chiens. L'animal typique du Québec, c'est le caribou.

« **Comment t'appelles-tu ?** »

Je m'appelle Arnaud.

« **Quel âge as-tu ?** »

J'ai treize ans.

« **Tu es d'où ?** »

Je suis de Fort-de-France. C'est la capitale de l'île de la Martinique.

« **Qu'est-ce que tu aimes ?** »

Moi, j'aime le carnaval à Fort-de-France. C'est en janvier. Il y a des défilés, des costumes fantastiques, des concerts, des spectacles. C'est super !